AU JAPON CEUX QUI S'AIMENT
NE DISENT PAS JE T'AIME

Le Japon
aux éditions Arléa

François Berthier
La Mystérieuse Beauté des jardins japonais
Cent Reflets du paysage, petit traité de haïkus

Cesare Brandi
Pleine lune et sur les nattes l'ombre d'un pin

Michaël Ferrier
Kizu, à travers les fissures de la ville
Tokyo, petits portraits de l'aube

Robert Guillain
Aventure Japon
Les Geishas

Vincent Hein
L'Arbre à singes

Elena Janvier
Au Japon ceux qui s'aiment ne disent pas je t'aime
Ce que tout le monde sait et que je ne sais pas

Takeshi Kitano
Rencontres du septième art

Albert Londres
Au Japon

Antoine Marcel
Traité de la cabane solitaire

Yann Nussaume
Tadao Andô, pensées sur l'architecture et le paysage

Roberto Peregalli
Les Lieux et la poussière

Jean Sarzana
La Tentation de Kyôto

Soshitsu Sen
Vie du thé esprit du thé

Bruno Smolarz
Hokusaï aux doigts d'encre

Hisashi Tôhara
Il y a un an, Hiroshima

Elena Janvier

AU JAPON
CEUX QUI S'AIMENT
NE DISENT PAS JE T'AIME

arléa
16, rue de l'Odéon, 75006 Paris
www.arlea.fr

Janvier 2012 – Arléa
EAN 9782869599727
© Janvier 2011 – Arléa

Pour Lalou

En l'an 1585, le père jésuite portugais Luís Fróis, né à Lisbonne en 1532 et mort à Nagasaki en 1597, fait paraître un essai intitulé *Européens & Japonais : traité sur les contradictions et différences de mœurs*[1].

Théâtres, chevaux, armes ou bateaux, manières de boire et de manger y sont présentés sous deux aspects, l'un européen, l'autre japonais. Bien des remarques et étonnements du père Fróis demeurent inchangés depuis 1585.

Ainsi : « Là où s'achèvent les dernières pages de nos livres, commencent les leurs. » Ou bien : « Nous buvons d'une seule main ; les Japonais le font toujours avec les deux. » Ou encore : « Nous succombons volontiers à la colère et ne dominons que rarement notre impatience ; eux, de manière étrange, restent toujours en cela très modérés et réservés. »

On ne peut se fier uniquement au père Fróis pour ne pas se comporter comme un barbare en Asie. Car s'il y a toujours un empereur, des cerisiers, du *natto*, des kimonos, des renards sacrés, des séismes, des cor-

---

1. Luís Fróis, *Européens & Japonais*, Chandeigne, 1993.

beaux au Japon, il y a maintenant des *kombini*, des voitures, des chewing-gums, la télévision, des *shinkansen*, des piscines, des escalators et d'autres corbeaux.

Là où s'achèvent les dernières pages du livre du père Fróis commencent celles-ci.

A

AMOUR

Au Japon, ceux qui s'aiment ne disent pas « je t'aime » mais « il y a de l'amour », comme on dirait qu'il neige ou qu'il fait jour. On ne dit pas « tu me manques » mais « il y a de la tristesse sans ta présence, de l'abandon ». Une sorte d'impersonnel immense qui déborde de soi. La tristesse est partout, l'amour aussi. Pas de hors-champ du sentiment.

Il pleure dans mon cœur comme il pleut sur la ville.
Verlaine, poète japonais né en 1844 et mort en 1896

APPARENCE

Au Japon, le fin du fin n'est pas de soigner les apparences mais ce qui n'apparaît pas. Un kimono sobre, voire insignifiant, doublé d'une soie rare.

APRÈS LA GUERRE

Calqué sur « après-guerre », le mot *apuregê-ru* existe au Japon. Mais tandis que nous disons : après la guerre, on pense ici : après la défaite.

ARGENT

Banque
Le conglomérat Mitsubishi, qui fabriquait pendant la Seconde Guerre mondiale les fameux « chasseurs Zéro », possède une branche bancaire, la Mitsubishi Bank, dont les livrets d'épargne et les cartes de crédit sont à l'effigie de Winnie l'Ourson.

Monnaie
La pièce de un yen mesure un centimètre de rayon et pèse un gramme. Sur les pièces de dix yens figure un temple, le Byôdô-in. Sur le toit du Byôdô-in, il y a deux phœnix. Les pièces de cinq et cinquante yens sont percées, on peut regarder au travers.

Sur les pièces françaises de dix centimes d'euros, on trouve une allégorie champêtre : La Semeuse. Il n'y a pas de trou au centre des pièces françaises de cinq et cinquante centimes d'euros – sauf si on les fait soi-même.

Paradoxe

Les femmes japonaises – qui ne travaillent pas – donnent de l'argent de poche à leur mari chaque semaine.

Princier

Au Japon, on ne signe pas de chèque. D'ailleurs, il n'y en a pas. En guise de signature, on appose son sceau sur le moindre document officiel. Chacun possède un bâtonnet de bois à son nom dont il aura choisi la typographie, unique, et qu'il range dans un étui oblong, lui-même fréquemment enveloppé dans un sachet de cuir ou de soie. Au moment voulu, on doit donc sortir l'étui, l'ouvrir, prendre son bâtonnet et en appliquer délicatement l'extrémité sur un tampon d'encre vermillon pour ensuite, bon prince, sceller le contrat, conclure l'affaire.

Virtualité

Quand on effectue une opération bancaire à un guichet automatique au Japon, à la fin de la transaction, un petit bonhomme et une petite bonne femme virtuels, tous deux en uniforme, vous sourient sur l'écran. Si par hasard un problème a eu lieu, que l'opération n'a pas abouti (une erreur de code, un solde insuffisant), le petit bonhomme et la petite bonne femme affichent une mine désolée avant de disparaître.

B

BAINS

Au Japon, on ne met jamais de bain moussant dans le bain. Il n'y a pas de bain moussant, en fait. Le bain moussant n'existe pas. Le bain moussant, c'est tout simplement une hérésie. L'eau du bain est pure et claire, vu qu'on s'est déjà douché, shampouiné (tous les jours), étrillé et copieusement rincé avec des baquets dans un espace réservé à cet effet. Le comble du raffinement : une cuve en bois de cryptomère dont l'essence parfume délicatement l'eau brûlante, et où l'on peut faire flotter, selon la saison, une racine d'iris ou quelque cédrat.

On ne se baigne pas pour se laver mais parce que c'est agréable, que ça réchauffe l'hiver et détend après le bureau, pour passer un moment privilégié avec les enfants (parents et grands-parents se baignent avec les plus petits). Ou bien pour bavarder avec les voisins ou les voisines aux bains publics (un bain pour les hommes, un autre pour les femmes). Ou parce que c'est une eau réputée, dans un site merveilleux, sur une terrasse abritée, entre des rochers où l'eau fume, en regardant la lune ou les érables, et parfois la neige.

On peut faire déborder la baignoire sans se faire enguirlander, mettre de l'eau partout en se douchant, et le rideau de douche ne moisit pas car il n'y a pas de rideau de douche. Les salles de bains sont carrelées du sol au plafond, c'est vraiment la joie.

On se lave le soir, et il y a du dentifrice au melon. En Europe, on se douche le matin, et le dentifrice est rarement aux fruits.

Les serviettes de toilette japonaises sont petites, très fines, presque translucides. Plus proches de la gaze que d'un tissu éponge. Un souffle d'air, les voilà sèches. On peut les emporter dans le bain, les plier en deux sur sa tête tandis que le corps flotte voluptueusement à la dérive, les tremper dans l'eau et les déplier sur son visage pour s'abandonner à leur chaleur, puis s'essuyer avec en sortant. Car on peut parfaitement se sécher avec une serviette mouillée, pour peu qu'elle soit mince. Il suffit de la tordre et de la passer sur tout le corps, léger-léger, comme un chiffon de soie sur un meuble de prix.

BAISERS

Les amoureux
S'embrasser sur les bancs publics ici est un délit (incitation à la débauche). En France, c'est juste une chanson.

Osculation
Au Japon, on ne se fait pas la bise pour dire bonjour ou au revoir. En France, on se fait la bise pour un oui ou pour un non. Le nombre de passages sur chaque joue dépend des régions. Lorsqu'un Parisien rencontre un Breton, il faut que l'un des deux s'adapte. Ou cède. Au Japon, on se courbe quelle que soit la région, les bras le long du corps pour les hommes, les mains croisées pour les femmes. En se débrouillant bien, on doit pouvoir cependant arriver à convaincre un Japonais ou une Japonaise de faire la bise. Ce sera sans doute plus difficile de convaincre un Breton de faire deux bises au lieu de quatre.

BÉTON

Il arrive parfois que l'amour du *gaijin* (l'étranger) pour le Japon se change en haine. Il suffit pour cela que le *gaijin* se heurte à un Japonais qui ne fait plus qu'un avec sa règle de travail : on demande de prolonger un prêt d'ouvrages dans une bibliothèque (trois semaines au lieu de deux puisque c'est les vacances), d'échanger une revue A contre une revue B (pardon, on est étourdi, et vu le prix de la revue...) en présentant le ticket de caisse... En France, on discute, on s'arrange ou pas, mais il y aura dialogue. Au Japon, un mur de béton désarmant.

BICYCLETTES

Chaînettes platinées, bracelets de titans, bagues démentes, breloques *silver*, les vélos sont la coquetterie de la ville.

BOIRE

Enzyme
On ne tient pas l'alcool et il y a une raison : une enzyme en moins dans l'organisme de 80 % de la population japonaise. C'est l'heure du dîner dans une *izakaya* quelconque : au premier verre de bière, le visage rosit gentiment, les tournées suivantes parachèvent le travail et, quand arrive le saké, on est déjà bien cramoisi. Le *shôchû* ôte les derniers restes de timidité pour lancer un « Allez, si on allait boire un verre chez Tanaka maintenant ? » Le whisky, c'est pour les braves qui n'ont pas encore roulé sous la table. À ce rythme-là, on a tous une enzyme en moins.

Nomiya
(de *nomu* qui veut dire boire)
Bar mais pas seulement. Bar où l'on mange aussi, pour accompagner les verres de bière ou de *shôchû*, des mets servis dans une soucoupe : pieuvres au vinaigre, haricots verts au sésame, radis marinés ou sardines au gingembre... Tout cela en quantité infime, pour le plaisir sans pareil de commander encore une autre petite chose.

Za zdorobie
Mikhaïl Boulgakov disait que la vodka est un médicament qui n'est pas encore au point. C'est valable aussi pour le saké.

BOTANIQUE

Brouillard
La rose pousse dans la terre et le chrysanthème dans le brouillard.
                    Paul Claudel, *Cent phrases pour éventails*

On ira tous au paradis
La différence entre les jardins du Ginkaku-ji, le Pavillon d'argent, et ceux du Paradis, c'est qu'à l'entrée du Ginkaku-ji il y a un panneau qui indique qu'il faut se méfier des serpents.

Parterres

Devant la mairie de Kyoto, à côté de la plaque commémorative de la Déclaration de Kyoto, il y a des parterres de bégonias, d'œillets d'Inde et d'ageratums.

Au Mans aussi, place des Jacobins, et dans tous les jardins d'hôtel de ville ou presque.

Mais pourquoi, grands dieux, pourquoi ?

BREF

Au Japon, on fabrique des mots qui ont l'air japonais, mais c'est un déguisement :
Sekuhara
harcèlement sexuel (anglais : *Sexual Harassment*)
Aroubaito
travail temporaire (allemand : *Arbeit*)
Sabotteru
sécher les cours (français : *saboter*)
Konma
premier violon (allemand : *Konzert Meister*)
Pokemon
monstre de poche (anglais : *Pocket Monster*)
Kolabo
collaboration artistique (anglais : *Collaboration*)
Kombini
magasin de proximité (anglais : *Convenience Store*)
Etc.

BRONZAGE

Nos produits cosmétiques contiennent parfois des substances auto-bronzantes, pour favoriser un hâle qui est signe à la fois de santé et d'un niveau social permettant d'aller à la mer ou à la montagne. Les leurs contiennent presque tous des agents blanchissants pour donner au teint une « beauté pâle » (*hakubi*), signe de distinction et de vie urbaine.

Le bronzage du cycliste japonais commence là où finit le nôtre, à savoir sur un quart de l'avant-bras en partant de l'épaule. On ne saurait conduire une bicyclette au Japon – les belles, en tout cas – sans porter l'été de longs gants qui remontent jusqu'au haut de l'avant-bras, afin de prémunir la portion de peau la plus exposée sans pour autant gêner les mouvements. Dès la fin des pluies de juin, on voit glisser sur les trottoirs des villes japonaises des centaines de Joséphine de Beauharnais échappées du *Sacre de Napoléon* par David, des escouades de Mlle Rivière par Ingres, à moins que toutes n'aient rendez-vous au même moment pour un *remake* d'un film de Julien Duvivier, juchées sur leurs vélos et portant une visière noire.

BRRRRR...

Le père Luís Fróis nous a donné son traité sur les contradictions et différences de mœurs. L'abbé Louis-Joseph Fret, quant à lui, des *Chroniques percheronnes*. On se prend à rêver à ce qu'auraient pu écrire le père Frisquey ou l'abbé Givrais.

BUREAUX DE POSTE

Dans les bureaux de poste japonais, il fait bon l'hiver et frais l'été. Le chœur des préposés vous souhaite la bienvenue. De discrets haut-parleurs diffusent un programme de musique *light classic*, les sièges sont confortables et pourvus d'une tablette près de l'accoudoir pour y déposer votre sac. Sur le comptoir il y a des stylos, un tampon encreur pour apposer votre sceau, une petite éponge humidifiée pour coller les timbres, ainsi que différentes paires de lunettes pour vous permettre de compléter commodément les imprimés.

Ici, c'est différent.

C

CAFÉS

Café Doutor

Les amoureux japonais des cafés Doutor ne se parlent pas, ne se tiennent pas la main, regardent leur thé au lait. Ils picorent à deux un gâteau Mont Blanc (*mon boulan*) durant des heures, sans rien dire. On dirait qu'ils s'ennuient, mais peut-être que non. Parfois l'un bâille et l'autre sourit, attendri, en penchant la tête de côté. Puis ils s'en vont, avec leur amour sans paroles, comme une mélodie pour piano seul de Mendelssohn.

Café nostalgie

On ne va plus chercher des macarons chez Pons en face du Luxembourg, à Paris, et il n'y a plus de café Mozart au Japon. Lenôtre et Starbucks ont vaincu. Dans tous les cafés Mozart du Japon on écoutait Mozart, exclusivement Mozart, ce qui laissait tout de même un choix assez vaste. On donnait de calmes rendez-vous pour un chocolat viennois, un café viennois, et, il faut bien l'admettre, de remarquables Sacher Tochte, auprès de quoi les muffins à la myrtille internationale sont fort peu de chose.

Café parisien

À Paris, aux terrasses des cafés, le serveur vous balance, rogue et soupçonneux : « J'peux vous encaisser ? », à peine la tasse flanquée sur la table, le papier du sucre flottant dans le jus de la soucoupe, la note bien en évidence. Autant dire qu'il faut payer illico. Au Japon, où l'on fait une chose à la fois et dans des lieux appropriés, on règle avant ou après, jamais pendant, et jamais à l'endroit où se prennent doucement le thé, le repas.

CHAIR

Aucun baiser à la télévision japonaise, pas l'ombre d'un sein, d'une cuisse. Ou alors c'est un film occidental, un nu en version doublée, dont la parole ne colle pas au corps d'origine. Pas d'épaule découverte l'été, pas d'affiche dénudée dans les rues, rien de lascif dans les publicités pour crèmes glacées, café en poudre, voitures.

Mais des tombereaux de thon rouge, des avalanches de poulpes et de mollusques, des gros plans sur de la laitance de saumon, débordant des bols à l'écran ou en plats factices aux devantures des restaurants.

La chair, décidément.

CHEVALERIE (ESPRIT DE)

Une femme dans un bar, même après minuit, ne se fera pas importuner, ni considérer avec mépris. Elle sera au contraire sous la bienveillante protection tacite du patron, qui se fera un plaisir de lui faire la conversation.

CHEWING-GUM

Sur les trottoirs parisiens, des galaxies spirales, des constellations elliptiques, des étoiles grises et blanches. Sur les trottoirs japonais, de temps à autre, une étoile isolée.

CIGARETTES

Au Japon, il est interdit de fumer dans le centre des villes (il vous en coûtera une amende de mille yens), mais on peut fumer dans la plupart des cafés et restaurants, dans les minuscules fumoirs des trains, ainsi que dans des espaces réservés à cet usage dans les aéroports et les gares.

En France, il n'est plus possible de fumer dans les lieux publics, mais on peut encore le faire sur le trottoir.

Les messages anti-tabac, au Japon, mettent en avant les dangers qu'un fumeur fait encourir à la collectivité : risque de croiser une femme enceinte et de mettre en péril sa santé, de brûler un enfant au visage avec le bout d'une cigarette qui arrive à sa hauteur.

Nos campagnes de prévention portent essentiellement sur les dangers de la fumée pour le fumeur lui-même.

Au Japon, il y a des distributeurs automatiques de cigarettes à tous les coins de rue. Comme ça, on peut fumer des cigarettes à la pêche, à la vanille ou à la cerise à tous les coins de rue. Mais ce n'est pas obligé. On peut toujours se brosser pour trouver des distributeurs automatiques de pêches, cerises et vanille à la nicotine. Il nous reste nos yeux pour pleurer[1].

---

1. Depuis l'été 2008, les distributeurs automatiques ne sont désormais accessibles qu'aux possesseurs d'une carte qui, s'ils en ont fait la demande, leur aura été attribuée par la mairie après qu'ils auront rempli un questionnaire détaillé et fourni une photo d'identité.

CISEAUX

Au repos, les ciseaux japonais sont ouverts. Pour couper un fil, on pince les branches de la petite paire aux lames courbées vers l'intérieur, qui retrouve aussitôt sa position initiale, ouverte. Sur la scène du théâtre kabuki, l'assistant sort prestement de son kimono une petite paire de ciseaux et coupe le fil qui relie les épaisseurs du costume d'un acteur quand il révèle la vraie nature de son personnage. Et hop ! voilà la douce jeune fille devenue vieux démon peu ragoûtant.

CLAQUETTES

En France, la pluie fait des claquettes. Au Japon, ce sont les *geta* (socques de bois) des femmes élégantes ou les talons aiguilles de certaines précieuses à claquer.

COLÈRE

On s'énerve pour un oui, pour un non en France. Rares les jours où l'on n'est pas témoin d'une scène d'agacement au café ou au volant, dans le métro ou au supermarché. Ici, on fait la queue dans le calme, on se tient debout, serrés les uns contre les autres dans le train, sans même paraître s'en apercevoir ;

on sourit aux employés qu'on voudrait agonir d'injures.

Et puis, un jour, on ne sait pourquoi, ça peut éclater. Une gueulante dans les bains publics, deux passagers qui menacent de se faire rendre gorge dans une rame, les visages s'empourprent, les « r » roulent impétueusement, comme venus de très loin, les poings se serrent. Et les âmes sensibles de se réjouir intérieurement que ces deux-là aient oublié leur sabre à la maison.

COMPTER

Chez nous, on compte indifféremment tout ce qui peut se compter, de un à l'infini. Au Japon, la façon de compter dépend de ce que l'on compte. Selon la forme, par exemple : on comptera de même les cheveux, les rues, les crayons, car ils sont longs et fins. Les feuilles de papier ou les chemises. D'une autre manière encore les éléphants, les ascenseurs, les machines à laver, les pianos à queue. Les animaux (jusqu'à une certaine taille, pas les éléphants). Les oiseaux d'une autre manière encore, qui est aussi, on ne sait pourquoi, celle employée pour dénombrer les lapins. Les choses quadrangulaires (le pâté de soja, les « pâtés » de maison), les choses rondes ou à peu près, les pantalons (qu'on ne compte ni comme les chaussettes, ni comme les chapeaux), les masques, les dieux, *etc.* La liste est longue, les subtilités nombreuses.

Petite scène chez le marchand de fruits et légumes. Les mandarines du Japon (*mikan*, moins juteuses mais d'un parfum délicieux) vous tentent : « Je voudrais *trois mikan* » (*trois*, pour les choses plus ou moins rondes, comme les tomates ou les pommes). « Ah, vous voulez *trois mikan* ? » (*trois*, comme les choses assez grosses, pas trop quand même, de forme indéterminée). Vous ne le saviez pas encore, ce sont des *mikan* d'été, plus gros que les *mikan* d'hiver.

Question : comment comptez-vous les nuages, les grains de sable, les problèmes de maths ? Les cauchemars ? les amourettes ? les nuits sans lune ? les poissons longs dans votre assiette ?

CONTRACEPTION

Au Japon, la pilule contraceptive n'existe pas afin d'encourager l'usage du préservatif et limiter la transmission des maladies sexuelles, ce qui n'empêche pas le taux de natalité d'être au plus bas. En France, il y a la pilule, et beaucoup de naissances.

C'est à n'y rien comprendre.

CONVENIENCE STORES (voir COURIR)

Tout ce qu'on peut faire dans un kombini
– Acheter des timbres poste (assortiment de tarifs),

de la nourriture pour chat, de l'alcool, des yaourts, des petits gâteaux, des boulettes de riz entourées de feuilles d'algues (au saumon, à la prune salée, thon-mayonnaise, bambou-champignon, etc.), des cartes de téléphone (motif au choix : chien, chat, tour de Tokyo, etc.), des thermomètres électroniques, des revues pornos, de tricot, de base-ball, de cuisine, des coton-tige, cravates, parapluies, chaussettes, de la lessive, des enveloppes de deuil, mariage, fiançailles, des fruits et légumes, du lait, du thé d'orge, du thé vert...

— Recharger son téléphone portable
— Envoyer ses valises à l'aéroport, ses skis, n'importe quoi n'importe où (fruits, vêtements, livres, etc.)
— Payer ses factures (gaz, électricité, loyer, etc.)
— Réserver un billet de train
— Retirer des espèces avec une carte bancaire
— Draguer.

COULEURS

Ao
Les toits de beaucoup de maisons japonaises sont bleus. Des vagues, si les vagues étaient bleues.

Astres
Au Japon, la lune est jaune et le soleil rouge. Les étoiles aussi sont jaunes.

Blanc

Une amie (F.), débarquée au Japon quelque trente ans plus tôt, nous confiait sa bévue inaugurale – il y en eut d'autres depuis. Conviant chez elle ses toutes premières connaissances japonaises, elle avait eu l'idée de dresser en leur honneur une table blanche, non seulement une nappe blanche mais des fleurs blanches et des bougies blanches. Ce raffinement laissa les visages de marbre, la conversation demeura minimale tandis que la gêne gagnait en intensité...

Chez nous, le noir est la couleur du deuil ; chez les Japonais, c'est le blanc[1].

Luís Fróis, *op. cit.*

Quelque chose noir

Attendre que le noir sèche sur les dents, voilà ce que Sei Shônagon classait parmi les « Choses impatientantes ». Si la coquetterie des dents noires est passée, on peut toujours rêver à cette glorieuse époque en se brossant les dents avec du dentifrice noir (au charbon de bois ou à l'aubergine), en vente dans les meilleures pharmacies. Dame Shônagon estimait que le spectacle de dents biens noircies égayait l'âme. Que dire mille ans plus tard ?

1. Le père Luís Fróis fait ici référence aux différents objets du rite.

Que se passe-t-il ?

Certes il existe un mot pour dire bleu (*ao*) et un autre pour dire vert (*midori*), mais ce serait trop simple. Il se trouve que notre perception diffère. Soit, la mer est *ao* et les feuilles des arbres *midori*, mais ça s'arrête là. Ce que je vois vert (*midori*) sera perçu *ao* (bleu) : les feux de signalisation verts sont bleus comme les émeraudes...

« Que se passe-t-il entre le bleu et le vert ? », se demandait Godard dans sa *Lettre à Freddy Buache* (1981).

Rouge et blanc

Les pères Noël des magasins japonais n'ont jamais plus de vingt-cinq ans et ne portent pas de barbe postiche. Ce sont d'ailleurs généralement des « demoiselles Noël » en minijupes rouges à pompons blancs.

Rouge et vert

Au Japon tout est rouge et vert du 20 novembre au 10 janvier. En France aussi.

COURIR

Au Japon, on peut toujours courir pour trouver un *kombini* fermé en pleine nuit.

Couverts

Dans les restaurants japonais, on n'entend pas de bruits de couverts, car on n'utilise que des baguettes en bois.

Fromages

En France on trouve du brie de Meaux, du chèvre cendré, de la cancoillotte, du Carré de l'Est (entre autres). Au Japon, il y a de la crème de gruyère à l'ananas en portions et du camembert danois en barquette d'aluminium.

Graines

À l'heure de l'apéritif, nous grignotons pistaches, cacahuètes et autres oléagineux. Ici, ce sera *edamame* : des haricots bouillis juste le temps qu'il faut. On les mange avec les doigts, on ouvre la cosse en deux avec les dents – elle est salée, c'est extra – pour cueillir les deux ou trois grains cuits à point, puis on dépose dans une soucoupe la cosse vidée. Un délice. En plus, ça vous a de l'espérance la couleur.

Le voir et le manger

La plupart du temps, quand on va au restaurant au Japon, le spectacle est dans la cuisine et la cuisine en face du dîneur. En attendant sa commande, ce dernier a tout loisir d'admirer le jeu impeccable des acteurs en tablier, foulard ou bonnet assorti sur la tête, couteau brandi ou poêle à frire, l'un le visage d'airain, un autre hilare, un autre encore pensif, franchement pensif, tous évoluant dans une harmonie qui ne peut que réjouir l'âme.

Libre-service

Qui son petit pain aux noix, qui son *kabo-chîzu* (petit pain au potiron et au fromage), on se sert tout seul dans les boulangeries, ici.

Natto

Ce n'est pas parce qu'on n'aime pas le *natto* qu'il faut en dégoûter les autres. À regarder, même de loin, ça n'a pas l'air inoffensif du tout. Radioactif peut-être. Il faudrait tenter l'expérience mais, en cas de coupure de courant, on doit pouvoir aller réenclencher le disjoncteur à la seule lueur de la boîte de *natto*. Ça se touille vigoureusement, amoureusement, longuement – c'est meilleur bien touillé –, et inutile de penser que ça va en améliorer l'aspect. C'est visqueux et élastique, oui les deux en même temps, un exploit, et le point commun avec le fluide végétal que secrètent certaines plantes carnivores. Le goût ? Inoubliable.

Solitaire

Il est bien plus fréquent de voir quelqu'un dîner seul au restaurant au Japon qu'en France (possibilité de s'installer au comptoir).

Souvent

Les Japonaises ne mangent rien. Deux copeaux de potiron, une gorgée de thé, une pincée de poisson grillé, un soupçon de riz : festin. À première vue, car elles renouvellent l'opération deux heures plus tard (petit gâteau, encore du thé, et ainsi de suite).

Il ne put pourtant se consoler de la mort de sa femme, et pendant les deux années qu'il lui survécut, il disait à mon grand-père : « C'est drôle, je pense souvent à ma pauvre femme, mais je ne peux y penser beaucoup à la fois. » « Souvent, mais peu à la fois, comme le pauvre père Swann » était devenu une des phrases favorites de mon grand-père qui la prononçait à propos des choses les plus différentes.

Marcel Proust, *Du côté de chez Swann*

D

DÉCALAGE

Quand il est midi au Japon, il est quatre heures du matin en France[1]. Vous commencez à entrevoir comment pourrait se dérouler la journée quand les personnes aimées dorment du sommeil du juste.

DÉCOLLETÉ

Au Japon, l'érotisme du décolleté n'est pas affaire de gorge mais de nuque, que l'on révèle ou dévoile, selon l'inclinaison du cou, l'entrebâillement du kimono, la forme du chignon qui relève la chevelure. Les geishas en soulignent la puissance érotique en laissant à nu, non fardé de blanc, un triangle effilé sur la nuque ; de même les acteurs travestis au théâtre kabuki.

---

1. Les huit heures de décalage, qui correspondent à l'heure d'hiver, se réduisent à sept heures en été.

DESSIN

Les Japonais, tous les Japonais, savent dessiner (voir dessin).

Tout petits, on les emmène en bandes dans la nature avec cahiers et couleurs et ils y vont. Ils grandissent, et ça continue. Quand on demande un renseignement et qu'on ne saisit pas bien la réponse, le Japonais va aimablement tirer son stylo, son calepin, et vous faire un dessin (revoir dessin).

DEUIL

Au Japon, on porte le deuil sans barguigner, à la ville comme à la campagne, quel que soit le milieu social du défunt. Jusqu'au carré de tissu, l'été, pour s'éponger le visage tant il fait chaud, noir lui aussi.
L'habit de deuil n'est plus toujours de mise en Europe.

DIFFÉRENCES

À deux mains
Les édits impériaux, les soutras, les cadeaux, les cartes de visite, les cartes de crédit, les reçus de supermarché se tendent à deux mains.

Pour donner quelque chose, nous n'employons que la main droite (ou la gauche, pour les gauchers).

Boutonnage
Nous boutonnons différemment les chemisiers de femme et les chemises d'homme : pan droit sur le pan gauche pour les femmes, pan gauche sur le droit pour les hommes.

Au Japon, tout dépend si l'on est mort ou vivant : pan gauche du kimono sur pan droit pour les vivants, pan droit sur le gauche pour les défunts.

Gravité (loi de la)
Au Japon il n'y a pas de jet d'eau, et les danseurs ne font ni entrechat ni saut de biche. Ils glissent sur la scène, et l'eau coule doucement dans les jardins, en suivant sa pente.

Onomastique
En Occident, on a plusieurs prénoms et un seul nom. Au Japon on n'a qu'un seul prénom, mais on change de nom après la mort. C'est alors celui que l'on inscrit sur ces longues plaques de bois qu'on voit dans les cimetières.

Mutations

Au Japon, on baisse la garde. En France, quand d'aventure on rentre tard et qu'on entend des pas derrière soi, il est difficile de ne pas être supérieurement en alerte. En fait, dès que le pied touche l'aéroport de Roissy, les systèmes d'alarme personnels se remettent inconsciemment en place, des yeux nous poussent dans le dos et sur les côtés.

DIFFICULTÉS

Cruciverbiste

Au Japon, c'est difficile de faire des mots croisés. Quand on ne parle pas japonais en tout cas.

Émile Coué

Se persuader que la bonite en copeaux qui se tord de douleur sur le plat qui vient de vous être servi n'est absolument pas vivante. Se persuader que c'est une illusion.

Formule

Tandis qu'en France c'est un franc plaisir de dire « non », c'est presque impossible au Japon. On préfère grimacer à la place : *muzukashii...* (c'est difficile...), qui veut dire exactement la même chose.

Perdu d'avance

Il est parfois délicat, dans certaines administrations françaises, de saisir la nuance entre décontraction et mauvaise volonté. Nulle nonchalance ici mais un débat poignant entre excès de zèle et précipitation, rivalisant d'inefficacité.

DISTANCE

Quand on remet le prix de la leçon au maître de thé, de nô, d'encens, on déplie sur le tatami un carré de tissu contenant l'enveloppe qui contient elle-même les billets.

Dans la correspondance japonaise, l'usage ancien est d'entourer la missive écrite d'une deuxième feuille de papier, vierge, protégeant l'écriture du contact de l'enveloppe.

La distance est la condition de l'échange.
Maurice Blanchot

DOUCEUR

Tout est plus doux au Japon. Même les éponges à récurer.

DU BALAI

Dans les villes japonaises, chacun balaie devant sa porte et devant celle de ses voisins, à tour de rôle. Cela s'appelle *tôban*. À intervalles réguliers, environ tous les dix jours, on transmet à son voisin un balai, une pelle et un carnet de bord sur lequel on inscrit la date, et chaque jour on balaie la portion de rue placée sous sa responsabilité. Il n'y a donc ni mégot ni papier dans les rues, nulle feuille morte, pas le moindre pétale.

E

EGO

Quand ils ont à se désigner, ou à vérifier auprès de leur interlocuteur que c'est bien d'eux qu'il est question, les Japonais montrent avec leur index le bout de leur nez. Nous montrons notre poitrine.

EMPEREUR

Contempler
Il existe en japonais un mot qui désigne le regard de l'empereur, et seulement le sien, intraduisible : 叡覧. Un mot unique pour son regard à nul autre comparable. Et personne pour voir ce regard-là, puisqu'on ne peut regarder l'empereur.

Pas évident
Il n'y a pas d'empereur en France.

Tout fout le camp

Si on en croit Sei Shônagon, à l'époque de Heian, le premier jour de l'an, les jeunes filles pouvaient goûter l'élixir de longue vie destiné à l'empereur. C'était la belle vie.

ENTRETIEN (PRODUITS D')

Le rayon des cosmétiques et celui des produits d'entretien ne forment au Japon qu'un seul et même rayon, qui couvre la part principale de la superficie des supermarchés – et n'est comparable en surface qu'à l'emplacement que nous réservons aux vins et spiritueux.

ÉPINGLES À CHEVEUX

Les épingles à cheveux japonaises sont noires, mesurent cinq centimètres de côté, ont des bords droits. Les nôtres présentent un aspect torsadé en leur milieu et mesurent six centimètres de long. Il en existe des dorées.

ÉPIPHANIE

Un papillon vole autour de vous, l'âme d'un samouraï.

ÉPOUVANTAILS

On ne peut pas dire que les épouvantails d'Europe sont une réussite. Les étourneaux s'y accoutument sans peine ; les corbeaux se perchent dessus, ne comprenant même pas que c'est à eux qu'on s'adresse.

Il y a de très beaux épouvantails au Japon. Certains sont d'ingénieuses petites orgues hydrauliques en bambou qu'un filet d'eau fait ronfler et sangloter. D'autres sont de larges tambours de toile blanche, portant l'esquisse d'un visage et pivotant sur deux cordelettes tendues en travers des rizières. Au moindre souffle, cette large face désolée bascule et vous menace. D'autres encore sont de grands fous colorés, titubant les bras en croix au-dessus des épis. Véritables cauchemars pour oiseaux, inventés par des gens qui les connaissent parfaitement.

Nicolas Bouvier, *Le Vide et le Plein*[1]

ESCALATORS

Lorsqu'on prend un escalator, la prudence impose de se tenir à la rampe. Des panneaux le rappellent : « Par mesure de sécurité, lorsque vous utilisez cet escalator, veuillez vous tenir à la rampe » (on préférerait, comme Sally Mara : « Tenez bon la rampe, mademoiselle », mais ce n'est pas le sujet). Dans les

---

1. Nicolas Bouvier, *Le Vide et le Plein*, Hoëbeke, 2004.

escalators parisiens, il faut y réfléchir à deux fois. On peut se tenir à la rampe mais c'est à ses risques et périls, on ne sait pas sur quoi on va poser la main, visible ou invisible, dégoûtant et bactérien en tout cas. C'est peut-être moins dangereux de s'étaler.

Au Japon, on n'a pas ce genre de problème. Les rampes d'escalators du métro de Kyoto, on mangerait dessus (à condition d'être rapide). Parce qu'il y a des gens dont le boulot est de nettoyer les rampes d'escalators. Des brigades de nettoyeurs de rampes d'escalator. Ils montent et descendent toute la journée, un chiffon à la main. Résultat, pas d'hésitation, on s'accroche. Les nettoyeurs de rampes d'escalators aussi sans doute, parce qu'il vaut mieux avoir une vie intérieure très riche pour faire un boulot pareil.

ESQUIVE (ART DE L')

Ça s'annonce mal, on marche à grands pas sur un trottoir où débouche justement en sens inverse un petit groupe de piétons en grande conversation, et qui ne vous regarde absolument pas. La collision semble inévitable et, pourtant, c'est en douceur que s'effectuera le croisement quasi surnaturel de vos personnes intactes. Ni vu ni connu, on vous avait vu.

ESSENCE

La station-service japonaise est un endroit complètement dégagé, un terre-plein bétonné : pas trace de la moindre pompe. On devine que c'est une station-service parce qu'il y a toujours au moins deux gars qui ressemblent à s'y méprendre à des pompistes et qui s'agitent dès qu'ils voient une voiture approcher. Il faut lever les yeux, ce qui n'est pas très prudent lorsqu'on conduit : les tuyaux des pompes à essence tombent du ciel, le pistolet est au bout ; l'essence tombe du ciel et ce n'est pas rassurant. On arrête sa voiture sous un tuyau et surtout on ne touche à rien. On quitte sa voiture, on donne ses clefs, on laisse les deux pompistes s'occuper de tout, et ils ne font pas les choses à moitié, remplissage du réservoir, un petit coup sur le pare-brise (intérieur et extérieur), un petit coup sur le volant, sur les rétroviseurs, de l'eau pour les essuie-glaces et sans doute un tas d'autres choses qu'on ne peut pas voir (bouquets de fleurs séchées dans la boîte à gants peut-être ?) puisqu'on n'est plus dans sa voiture.

Question : étant donné qu'en France, lorsqu'on ôte le pistolet du réservoir, ce sont les chaussures qui récoltent les dernières gouttes d'essence, sur quoi tombent celles des tuyaux aériens japonais ?

ÉTATS

Au Japon, les états d'âme ne font que passer. Cela dit, ils passent souvent.

ÉTRANGETÉ

À la sortie d'une projection de *Rashômon* (Akira Kurosawa, 1950), certains spectateurs français se sentent obligés de marcher comme Toshirô Mifune.

EXCÈS

Éblouissement
En été, au Japon, le spectacle des rizières inondées au soleil le long d'une nationale, aussi grise soit-elle, est la chose la plus belle du monde.

Féminité japonaise
Richard Brautigan note dans son *Journal japonais* :
Les femmes sont toutes si séduisantes au Japon que les autres ont dû être noyées à la naissance.

Province
Une fois qu'on a posé pied à Kyoto, aller à Tokyo revient en quelque sorte à s'exiler à Babylone.

Victor et Alexandre

Lire pour la première fois dans son intégralité *Notre-Dame de Paris* au Japon est encore l'expérience la plus belle du monde. Idem pour *Les Trois Mousquetaires, Vingt ans après* et *Le Vicomte de Bragelonne* (la chose la plus belle et la plus triste au Japon et ailleurs).

EXPRESSIONS

En latin, on dit que l'erreur est humaine ; en japonais, que les singes eux-mêmes, parfois, tombent des arbres. On dit aussi que les petits des grenouilles sont des grenouilles (*tel père tel fils*), et qu'on ne fait pas de bonne flûte avec un bambou vert (*c'est dans les vieux pots...*).

F

FAUNE

Animaux des villes, animaux des champs
Parmi les animaux familiers qui résident au Japon, ne pas oublier les furets. En pleine ville, des furets.

Centipèdes
Oui, bien sûr, il y a des scolopendres au Japon mais on ne va pas en faire un plat. C'est vilain, ça court très vite mais normalement ça ne vole pas. Tout le monde en parle avec effroi si bien qu'on est presque soulagé d'en voir un. Il n'y a plus qu'à se laisser piquer une fois, comme ça, c'est fait, et on n'en parle plus.

Chats
Il y a énormément de chats des rues (*noraneko*) en ville. Ils ont la vie dure. On ne les aide pas beaucoup selon l'adage : « Si on en nourrit un, un deuxième va rappliquer, et cela n'aura pas de fin. »

Les chats japonais parlent japonais, c'est bon à savoir.

Corbeaux

À Paris il y a des pigeons, à Venise aussi. Les enfants et les touristes aiment beaucoup les pigeons. À Tokyo, il y a des corbeaux, des tas de corbeaux qui croassent tranquillement dans les arbres, sur les panneaux de signalisation, les toits, et qui lacèrent avidement les sacs poubelles. Mais personne ne se fait photographier en leur compagnie et on ne les voit jamais sur les cartes postales.

Chat ou corbeau

« Toilette de chat » se dit en japonais « toilette de corbeau ».

Crabe

Au Japon, il y a une chaîne de restaurants dont l'enseigne est un crabe géant articulé. À vue de nez trois mètres sur quatre. On hésite à entrer : si le reste est à l'avenant... En même temps, Alice se débrouille très bien dans ce genre de situation.

Le(s) poisson(s)

Certains Français ne courent pas après les escargots, font la moue devant le foie gras et/ou ne mangeront de lapin pour rien au monde. On trouvera toujours des Japonais pour bouder le poisson cru. Avouons que c'est tout de même rarissime. Ici, on aime le poisson.

Le fait est qu'on aime aussi « les » poissons. Mais si d'aventure on se promène dans l'aquarium d'Osaka, Kaiyûkan, on s'étonnera peut-être d'entendre les visiteurs japonais s'exclamer en admirant des spécimens particulièrement splendides : « Ça a l'air bon ! » (*oishisô !*).

Moustiques

Au Japon, les moustiques sont noirs mais tachetés de blanc. On se surprend à trouver cela assez joli, ça change des coccinelles. Pour le reste, ils font exactement le même boulot que tous les moustiques du monde.

Planants

Il y a des rapaces au bord de la Kamogawa. Il y a aussi des canards. Quand on donne du pain aux canards, les rapaces se mettent à tournoyer furieusement. Rêvent sans doute d'un sandwich au canard.

Renards

Au Japon, les renards sont en pierre et on les trouve dans les sanctuaires shintô.

Vache

Lorsqu'ils ont épuisé les recours classiques aux amendements, les parlementaires japonais ne manifestent pas leur désapprobation en chahutant dans les rangs mais en adoptant la technique dite du « pas de la vache » (gyûho) qui consiste à entrer dans la salle des débats au ralenti, millimètre par millimètre.

FÉMINITÉ

L'idéal féminin occidental, en ce XXIᵉ siècle, pigeonne. On soutient, on exalte, on surélève, on proémine. Au Japon, depuis quelques siècles, c'est tout le contraire, le kimono des élégantes prône un code bien différent : la large ceinture nommée obi aplatit la poitrine. Et on efface la taille comme la gorge en calfeutrant avec des linges – on n'imagine pas l'attirail là-dessous !

FRENCH TOUCH

Toute jeune fille japonaise un rien coquette a sa *French manucure*. En France, non.

G

GÉNÉRALITÉ

À Kyoto, les hommes en général ont de la douceur et de la sensibilité.

Kenkô Urabe, *Les Heures oisives*

GÉOGRAPHIE

Au cap Soya, à l'extrême nord de l'île de Hokkaido, au bout du monde en quelque sorte – un endroit d'où, si on a des yeux de lynx, on peut deviner l'île de Sakhaline –, il y a un panneau qui indique que Grenoble est à exactement 10 639 km. À Grenoble, il n'y a pas de panneau qui indique à quelle distance se trouve le cap Soya. En même temps, Grenoble n'est le bout de rien.

H

HYGIÈNE

Avant / après

Sartre disait (mais où ?) que la différence entre les ouvriers et les bourgeois c'est que les ouvriers se lavent les mains avant d'aller aux toilettes, les bourgeois, après. Au Japon, on se lave les mains avant *et* après parce qu'il n'y a que des classes moyennes.

Gargarismes

Au Japon, on se gargarise après s'être brossé les dents. On ne sait pas très bien si c'est par hygiène, ou parce que c'est rigolo.

I

IL N'Y A PAS

Au Japon, il n'y a pas d'oméga 3. À la place, on achète tout ce qui contient des polyphénols et du collagène.

Il n'y a pas de bouquinistes le long de la Kamo-gawa.

Il n'y a pas de tags dans les villes japonaises. Peut-être ne les verrait-on pas, dans ce grand champ d'idéogrammes ?

Au Japon, sur les chantiers, il n'y a pas d'établi. Charpentiers et ouvriers disposent leurs outils à même le sol et calent les pièces avec leurs pieds. L'établi, c'est le corps.

Il n'existe pas de chèques au Japon. On règle les achats en espèces ou par carte bancaire.

Au Japon, il n'y a pas d'histoires belges.

IL Y A

À Kyoto, il y a le bar Fantômes. Une fenêtre ouverte sur la nuit et quelques bougies font presque de la lumière. Pas de visages dans la presque lumière. Restent les voix.

Dans les *convenience stores* (voir CONVENIENCE STORES), il y a des revues pornographiques. On ne peut pas les feuilleter, elles sont scellées, il faut faire confiance à la couverture. Pas si facile.

IL Y A AUSSI

Au Japon il y a aussi des SDF sous les ponts. Et pas que sous les ponts.

IL Y AVAIT

Dans les années 1000 et des poussières, il y avait Sei Shônagon et, sur la liste des « Choses qui doivent être courtes », il pourrait y avoir les jupes des lycéennes.

Il y avait Tan Yu. Il a peint des tigres, on peut les voir lorsqu'on visite le Nanzen-ji, à Kyoto. Lui n'avait jamais vu de tigre.

J

JEUNESSE

Macadam

En toute saison, de jeunes gens s'assoient par terre, solitaires, à deux ou en grappes. Ils ne fument pas, regardent rarement les passants. Ils plaisantent ou consultent leur portable. Ou bien ne font rien. Le temps qui passe[1].

No problem

Les jeunes gens branchés glissent leur portefeuille dans la poche arrière de leur jean, sans attache. En France non.

Terminologie de salon

Aller chercher tout là-bas, à un centimètre au-

---

1. Chapeau bas à Alain Souchon qui avait vu venir la chose dès 1976 (oui, l'autre siècle) : *Tu verras bien qu'un beau matin, fatigué / j'irai m'asseoir sur le trottoir d'à-côté / tu verras bien qu'il n'y aura pas que moi / assis par terre comme ça.*

dessus d'une oreille, une fine et longue mèche de cheveux pour la rabattre victorieusement sur le crâne, cela s'appelle chez les coiffeurs français un *ramené*. Les jeunes Japonais qui parlent de la coiffure de leur oncle préféré disent *bâ-kô-dô*, codebarres.

JOUISSANCE

Selon des amies bien informées, l'homme japonais, au bord de l'extase, s'exclame, ou murmure, selon : « *iku-iku !* » (quelque chose comme : « j'y vais, j'y vais ! »)
Autant être prévenue, non ?

JOUR / NUIT

Au Japon, il n'y a pas de combine pour allonger les journées. Pas d'heure d'été ni d'heure d'hiver. Quand on arrive de France, on a l'impression que le jour se lève trop vite et que la nuit tombe trop tôt. On s'habitue. Le jour se lève, et c'est l'heure à laquelle passent les sangliers (à condition bien entendu d'être par exemple à l'est de Kyoto, près d'une forêt et d'avoir une vue dégagée). En général (et si l'on est toujours au même endroit), ils repassent lorsque la nuit tombe, mais attention, pas forcément en sens inverse, le sanglier même s'il a ses petites habitudes, n'est pas si prévisible. La nuit tombe et pendant que les sangliers repassent à l'est près de la forêt, dans le centre de Kyoto les enseignes des commerces et des restaurants s'allument.

JOURS J

Jour des bains

On fréquente le *sentô* (établissement de bains publics) chaque jour que font les *kami* (les dieux) ; les étudiants parce qu'ils ont rarement une salle de bains dans leur studette, les seniors qui souffrent du même manque s'ils habitent des maisons traditionnelles non rénovées, les femmes pour discuter tranquillement avec leurs voisines, etc. Même les heureux possesseurs de baignoire ne dédaignent pas de venir se délasser le week-end au *sentô*, comme on irait se faire prodiguer un soin, pour la modique somme de 410 yens.

Or, le 26 du mois est un jour spécial. Pourquoi le 26 ? Parce que le bain se dit *furo* et que c'est une joie universelle de jouer avec les mots. Ainsi, 2 = *fu* (tatsu) et 6 = *ro* (kku). Ce jour-là, on quitte le *sentô* tout frais tout beau avec la petite bouteille de jus de fruits de son choix sous le bras, cadeau. Si c'est pas la fête...

Potiron

Au Japon, le jour du solstice d'hiver, il est recommandé de manger du potiron, car c'est une promesse de bonne santé.

Première fois

Au Japon, les choses que l'on fait pour la première fois de l'année, en janvier, ont un nom. Le premier rêve, la première visite au temple. La première flèche, le premier chant de nô, la première gorgée de saké après avoir suçoté une algue salée *konbu*, le premier signe que l'on calligraphie.

Pendant ce temps, à Saint-Germain-des-Prés, on prend le premier café-crème, comme dans la chanson, mais on ne sait pas quand cela arrivera – ni même si cela arrivera encore.

1er janvier

Chez nous, on se fait la bise pour la nouvelle année, même entre collègues, c'est obligatoire, et les hommes sentent souvent l'après-rasage. Au Japon, les hommes n'utilisent pas de parfum et ne vous embrassent pas.

Tanabata

Le 7 juillet, on formule un vœu sur une feuille de papier qu'on plie et qu'on accroche ensuite à un arbre. Réussir à son examen, partir en voyage, rencontrer l'amour, être moins timide, plus courageux. Chaque année, on recommence.

JOYAUX

Kintama
En France, on utilise une très classieuse expression pour dire « s'enrichir ». Au Japon, la couille est en or de toute façon (*kin*, c'est l'or et *tama*, la sphère).

JURON

Nous lâchons un juron avant même que l'objet qui nous tombe des mains atteigne le sol, ou que le feu passe au rouge. Au Japon, on ne commente pas, ou si l'on est très dépité, on laisse échapper un « Tiens ! (*ala-ala !*), C'est dommage ! (*zannen !*) ou Quel imbécile je fais ! (*baka ne !*) »

K

KAMOGAWA

La Kamo est un paysage inutile. Pas de péniche, pas de bateau-mouche, même les hérons y ont pied. On ne sait où elle va, elle ne se perd dans aucun océan, aucune mer, aucun lac. Pas d'avenir, pas de profondeur. Elle ne sert à rien qu'à reprendre dans ses reflets les lumières des maisons de thé sur les berges, quelques néons rouges ou violets. Et aussi, l'enseigne du Starbucks au pont Sanjo, qui était autrefois le bout de la route du Tokaido qu'on voit sur les estampes de Hiroshige.

KANASHIBARI

Ça arrive de préférence de jour : au matin quand on traîne au lit au lieu hop hop de se lever, ou bien en fin d'après-midi, à l'issue d'une sieste prolongée, on est en tout cas dans un demi-sommeil avec l'idée de se réveiller pour de bon. On s'aperçoit alors qu'on est cloué au sol, plaqué au futon, à même le tatami. Impossible de remuer le petit doigt. Les oreilles se mettent à bourdonner furieusement et c'est le signal, les visions peuvent se déchaîner : ronde de fantômes sans tête faisant procession autour de vous ; créature en forme de nuage noir qui vous visite longuement, intimement, avant de repartir par la fenêtre laissée ouverte (une erreur ? une invite ?) ; volaille assise familièrement à quelques centimètres de votre visage et vous jaugeant ; rires de fillette dérangée... Oui, n'importe quoi ça peut être. Non, il n'y a pas de mot pour ça en français.

KIMONO

Les vêtements japonais traditionnels des hommes et des femmes sont appelés indifféremment *kimono* (« choses que l'on porte »). On les range horizontalement dans des tiroirs en les protégeant par des papiers de soie.

Nous rangeons les robes et manteaux verticalement, suspendus à des cintres, dans des armoires.

KYOTO

Que c'est triste Venise, au temps des amours mortes. Kyoto aussi.

L

LEUR FORCE ?

Au Japon, il y a des réunions pour préparer les réunions.

LIAISONS

En France, on ne fait plus du tout les liaisons, surtout pas à la radio, et rarement au théâtre. Les Japonais qui parlent français font toujours les liaisons. Ainsi, on sait qu'ils sont japonais et non pas français.

LIMITES

Une fille non mariée à trente ans, toute la famille s'inquiète.

Lecture

Au Japon, on peut lire verticalement et de droite à gauche, ou bien horizontalement et de gauche à droite, selon la situation.

Les dos des livres, par exemple. Dans les librairies, les bibliothèques, chez les bouquinistes, on se tient droit devant les rayons, que l'on parcourt des yeux sans se pencher, ni à droite ni à gauche, et surtout sans avoir à incliner la tête dans un sens puis dans l'autre. Si le livre est épais, alors le dos est assez large pour recevoir un titre horizontal. À se demander pourquoi on n'a pas résolu le problème en Europe, en adoptant un sens identique pour tous les livres. On arrêterait alors de dodeliner, et l'on verrait se déplacer les lignes parallèles des lecteurs devant les étagères.

Le sous-titrage des pièces de nô à la télévision, des films au cinéma, combine les deux sens de lecture. On pourra lire sur la droite de l'écran, verticalement et de haut en bas, le texte des dialogues, tout en voyant apparaître en bas de l'écran, des informations utiles à la compréhension de la scène.

Livres de poche

Les livres de poche japonais sont de vrais livres de poche. Minces et compacts, dix centimètres sur quinze tout au plus, on les glisse aisément dans sa poche. On a beau être un livre de poche sans prétention, au Japon on a tout de même sa dignité : on porte jaquette et marque-page, couverture finement toilée et parfois même un véritable signet tissé en pages centrales. Au moment de régler votre achat, le libraire vous propose de couvrir votre livre, pour éviter de le salir dans les transports ou de l'endommager au contact des divers objets de votre sac.

À moins que ce ne soit par pudeur et discrétion ? Dans le métro, tous les Japonais en train de lire semblent déchiffrer un seul et même livre, anonyme et sans titre.

LOCOMOTION

Code de la route
Au Japon on roule à gauche. On marche à gauche, aussi, dans les couloirs de correspondance du métro, et l'on se tient à gauche dans les escaliers mécaniques et sur les tapis roulants d'aéroport.

Espace
Si, comme en France, il y a des trottoirs de part et d'autre des avenues, les rues japonaises en sont d'ordinaire dépourvues. À la place, et souvent d'un seul côté, une sobre ligne de peinture blanche délimite un couloir ridiculement étroit, joyeusement ignoré des piétons qui de toute façon préfèrent trotter au beau milieu de la rue. Comme on les comprend.

Vélos

Au Japon, les vélos roulent sur les trottoirs et on évite les obstacles divers en faisant tinter sa sonnette, non sans s'incliner respectueusement sur le guidon et tout en présentant ses excuses au piéton ainsi dépassé. On roule en tenant un parapluie ouvert à la saison des pluies, une ombrelle l'été, un téléphone portable en toute saison, les courses et deux ou trois enfants. Parfois un chien bichon, dans le panier avant, profite du paysage.

LOISIRS

Balade
Nous tenons la promenade pour agréable, saine et récréative ; les Japonais n'en font jamais, et s'étonnent fort devant nous de ce qu'ils croient être un travail ou une pénitence, constate le père Fróis.

Sans aller jusque-là, il semble bien que toute sortie au Japon ait un but. Sortir ? Bien sûr, mais pour aller où ? On ne sort pas pour sortir, cela ne va pas de soi. On ira voir un jardin inédit du côté du Nanzen-ji, le nouveau magasin en vogue... Il y a pourtant une bien jolie onomatopée pour dire flâner : *burabura aruku*.

Cinéma
Le cinéma est très cher au Japon, de 1 800 à 2 000 yens la place, 1 500 yens pour les étudiants.

Mais il y a le *lady's day*, destiné comme son nom l'indique aux femmes, qui ne paient que 1 000 yens ce jour-là, en général le mercredi (jour des enfants en France).

Dominos

On ne joue pas aux dominos ici, en tout cas pas comme en France. On les dresse alignés les uns derrière les autres, on fait tomber le premier sur le deuxième qui à son tour participera à l'effet domino. On obtient ainsi de bien jolis circuits.

On ne joue pas aux dominos mais on joue à des tas d'autres jeux.

LUMIÈRE

Néons

Où qu'on aille, des néons. Dans les trains, les administrations, à l'université, à domicile, une lumière d'*Ascenseur pour l'échafaud*. Les plus belles *machiya* de Gion, les maisons traditionnelles en ville, abritent des plafonniers criards. Un jour, un marchand de meubles anglais dont on goûtait l'éclairage doré de la boutique autant que la bonne odeur du bois nous invite à voir ses œuvres récentes dans l'arrière-boutique, c'est-à-dire chez lui. On pousse la porte. Les plafonniers blafards étaient là, à nous attendre.

Et toutes ces lampes en papier *washi*, ces lanternes

exposées dans les boutiques de luminaires ? On dirait que c'est du luxe. En vrai, au quotidien, c'est du néon qu'il nous faut.

[...] à quel degré d'intoxication nous sommes parvenus, au point qu'il semble que nous soyons devenus étrangement inconscients des inconvénients de l'éclairage abusif. Tant pis, si l'on veut, pour les amateurs de clair de lune, mais dans les maisons de rendez-vous, les restaurants, les auberges, les hôtels, quelle débauche de lumière électrique !

Tanizaki, *Éloge de l'ombre*[1]

Contre-exemple : le bar de Kazu, alias le bar Fantômes, exclusivement éclairé à la bougie, on n'y voit goutte. (cf. article IL Y A).

Noir
Dans les *ryokan* (auberges), il n'est pas rare de trouver au plafond des abat-jours avec deux néons circulaires (un petit dans un grand) et une ampoule. Une ficelle qu'il suffit de tirer d'un coup sec permet de choisir le type de lumière que l'on veut obtenir. Trois solutions : lumière divine, lumière quasi divine et obscurité partielle. En résumé, on a le choix entre l'aveuglement et la presque cécité, mais, comme le dit Victor Hugo à propos de tout autre chose : *Nous n'avons que le choix du noir.*

1. Junichirô Tanizaki, *Éloge de l'ombre*, P.O.F., 1977.

M

MACHINES À LAVER

C'est comme ça et personne ne sait pourquoi : au Japon, les machines à laver lavent à l'eau froide. Si, absolument : à l'eau froide. En conséquence, on lave tous les jours. *Isogashii-tanoshii !* comme on dit. S'activer, voilà qui est joyeux ! (ou quelque chose de ce genre). Henri Michaux : *Les Japonais lavent même le ciel.*

MAGASINS

Horaires
En France, les magasins sont ouverts ou fermés. Au Japon, ils ne sont jamais fermés : quand ils ne sont pas ouverts, ils sont « en préparatifs ».

Sacs

On ne pose pas son sac par terre au Japon, ni son cartable, ni son sac à main, ni son cabas. On l'installe sur le siège vide en face, à côté ou sur ses genoux, tel un chat.

Dans les supermarchés, jamais de paniers à terre. Quant à les pousser du pied en attendant de passer à la caisse, c'est tout simplement inconcevable.

Supermarché

À la caisse des magasins, les employés prélèvent dans votre panier (plein) les articles qu'ils enregistrent, et les déposent dans un panier (vide) qui se remplit à mesure, et que l'acheteur va ranger plus loin à son rythme, c'est-à-dire sans se presser, sur une table prévue à cet effet, où l'on trouve aussi un chiffon humide pour ouvrir plus facilement les sacs en plastique dans lesquels le client place ses achats.

MANGA

Le rayon manga des librairies est immense et très compartimenté : pour écoliers, pour collégiens, pour collégiennes, décrivant des intrigues entre équipes de volleyball, de baseball, pour adultes plus ou moins avertis, etc. Au rayon « Classiques », on trouve pêle-mêle des adaptations du *Rouge et le Noir*, d'*À la recherche du temps perdu*, du *Capital* et de *Mein Kampf*.

MARCHER (voir COURIR)

On ne mange pas en marchant dans la rue au Japon. Dans le métro ou le bus non plus. Ce n'est pas *trendy*, c'est barbare. Dans les séries télévisées, les détectives et les enquêteurs de police ne se promènent jamais un gobelet à la main. Dans la rue, même une glace on la savoure à l'arrêt, près du marchand de glaces. Dans les trains, ouvrir sa boîte à repas est au contraire un des plaisirs du voyage, mais c'est le train qui bouge. Au théâtre kabuki aussi, qui est une forme de voyage à l'ancienne. Celui qui mange quelque chose est toujours immobile.

En France, où l'on ne prend jamais son repas sur ses genoux au théâtre, avaler un sandwich en marchant, ou dans une rame de métro, même dans un bus, avec beaucoup d'oignons, c'est courant.

MARIAGE

Nos robes de mariée ne servent qu'une fois – sauf si elles ne ressemblent pas à des robes de mariée.

Au Japon, on peut continuer de porter son kimono de mariage, à condition d'en raccourcir symboliquement les manches. Tout est là.

MARQUES

Au Japon, on aime les sacs Vuitton, et l'on trouve élégant tout ce qui porte une marque visible et européenne.

Nous raffolons des objets Muji – ce qui, pourtant, veut dire « sans marque ».

MÉTÉO

Sur les chaînes de télévision japonaises, le bulletin météo consiste en une carte de l'archipel et une suite de tableaux indiquant, du nord au sud et par tranches de trois heures, y compris la nuit : températures, probabilité de pluie exprimée en pourcentage, hauteur des vagues (pour les villes côtières), vitesse du vent, variétés de pollens, etc.

En France, le bulletin météo est un *show*, et chaque chaîne a son présentateur vedette, généralement enthousiaste et en tenue estivale.

MIMÉTISME

On constate, on s'étonne, on sourit. Et puis on fait pareil : dormir dans le train, pencher la tête de côté quand on ne comprend pas, ignorer les *gaijin* (étrangers) ou les toiser, selon. Vivre ici.

MIROIRS

Quai
Sur les quais des stations de métro, dans les gares, il y a des miroirs, assez larges pour vous renvoyer votre image, de la tête à la taille. Parfois aussi en haut des escalators. On passe devant son reflet furtivement, juste assez pour corriger son maintien, être présentable. Vérifier son effacement.

MONTRES

Dans les villes japonaises, il y a des horloges partout. Dans les magasins, les bureaux, les gares, sur les quais du métro. Dans les cuisines aussi, les chambres, et même dans les salles de bains – rien de tel pour être à l'heure le matin qu'une horloge étanche sous la douche.

Dans les squares où jouent les enfants, pas d'horloge. Le temps fait une pause. Mais à 17 h, dans tous les squares du Japon, l'été, l'hiver, on entend par les haut-parleurs la mélodie d'une chanson qui dit qu'il faut rentrer bien vite, que c'est l'heure des devoirs et du dîner.

MOUFLES

En France, les moufles sont pour les mouflets. Ici, de bien grandes jeunes filles en portent, même si ce n'est pas très pratique pour sucer des sucettes.

MOUTARDS

Carottes
Les carottes japonaises sont rouges, et il faut les finir – pire que les épinards.

Cordon
En France, dès le début, l'enfant a sa chambre. La nuit, on laissera la porte ouverte, la lumière du couloir allumée, l'enfant dans sa chambre. Au Japon, le bébé dort avec ses parents, et ça peut durer. Ça peut durer.

Dessert
De quoi prive-t-on les petits enfants japonais, puisqu'il n'y a pas de dessert ?

Dodo
En France, on met les enfants dans des « lits-cages », avec des barreaux.
Au Japon, l'enfant dort longtemps entre son père et sa mère, « comme le mot rivière » (*kawa no ji no yô ni*), qui s'écrit 川, sur des matelas étendus sur le tatami, d'où personne ne risque de tomber.

Éducation

Au Japon, on punit un enfant en le faisant sortir de la maison. Redevenu raisonnable, il pourra revenir dans le cercle familial. En Europe, on punit l'enfant en l'envoyant dans sa chambre.

Les bébés japonais n'ont jamais de tétine dans la bouche. Ils ne crient pas non plus, ou rarement, et pleurent peu. En tout cas, pas en public.

Fessée

Il n'est pas d'usage de frapper les enfants au Japon, du moins pas à notre époque. Quand un parent est vraiment exaspéré, ou qu'il tient à marquer sa désapprobation énergiquement, il donne une petite tape sur le dessus du poignet.

MUSIQUE

Bande-son

Au Japon, la bande-son ne s'arrête que dans les bains publics. Ailleurs, dans les rues, les gares, les ascenseurs, les halls d'hôpitaux, la vie est en couleurs et dolby stéréo. Quittant le pont de Sanjo, on entre dans la galerie marchande de Teramachi, à Kyoto, comme si on traversait l'écran d'un film. Long travelling avant, générique sur un air de clochettes (tiens, déjà Noël), une valse commence et tu vas surgir à l'angle du marché Nishiki, on se retrouvera, tu verras tu verras, et l'on dansera au-dessus de la ville à la vitesse du vent, tu verras tu verras, dans les airs tout au-dessus de la Kamo, juste avant la pub.

Classique

Au Japon, tout le monde a un portable. C'est cependant extrêmement rare de les entendre sonner et, quand ça arrive, la sonnerie est discrète, pas reconnaissable. En France, tout le monde a un portable. Il faut qu'en sonnant il fasse le plus de bruit possible et, si c'est les trompettes d'*Aïda* ou *Carmen*, c'est encore mieux.

Paysage sonore

Au Japon, les poids lourds parlent avec une jolie voix synthétique de soprano léger : *Bakku shimasu* (je fais marche arrière). Ou bien encore : *Hidari ni magarimasu* (je tourne à gauche).

Pipeau

Dans n'importe quel pays du monde, on finit toujours par tomber en centre-ville sur des gougnafiers qui jouent *El condor pasa* en play-back, tout ça, et on se demande bien pourquoi, déguisés en Indiens. Ceux de Kyoto sont tous les samedis soirs à l'intersection Shijo-Kawabata. Penser qu'ici on allait pouvoir y échapper, c'est ce qui s'appelle se mettre la flûte de Pan dans l'œil.

Récupération

Dans les villes japonaises, passe depuis toujours un petit camion bleu diffusant une chanson qui s'élève de son haut-parleur, toujours la même. Alors on sort sur le pas de sa porte pour échanger des liasses de vieux journaux contre des mouchoirs de papier. On n'entend que la mélodie, jamais les paroles. Mais qui se souvient encore de l'air de Martha dans un opéra du poète et compositeur Thomas Moore, né à Dublin en 1779 et mort à Sloperton dans la démence en 1852 : *Tis the last rose of Summer / Left blooming all alone / All her lovely companions / Are faded and gone [...] Oh! who would inhabit / This bleak world alone ?*

(C'est la dernière rose de l'été / la dernière en fleur, seule / Toutes ses gracieuses compagnes sont fanées, disparues [...] Ô qui pourrait habiter seul cette terre désolée ?)

Voisinage

En France, lorsque le gosse du cinquième vous casse les oreilles avec ses gammes au piano ou la *Ballade pour Adeline* en boucle, vous cognez avec un balai sur le plancher (si vous habitez au sixième) ou au plafond (si vous êtes au quatrième), pour mettre un terme au raffut.

Au Japon, saisissant un instant favorable, devant les boîtes à lettres du hall ou dans l'ascenseur (entre le quatrième et le sixième), vous félicitez vos voisins pour les *intenses* progrès en piano de leur progéniture.

N

NOMS

De bars à vins :
Bouchonné ; Deux cochons

De boulangeries-pâtisseries :
Boule ; Fleur de farine ; La Pâtisserie célèbre ; Maximum zizi ; Pas de deux ; P'tit mec ; Quatre saisons ; Tous les deux ; Vingt-sept Degrés

De boutiques de robes de mariée :
Vierge

De boutiques de vêtements :
Ane-mone ; Armoire ; Boutique ; Chambre de Nîmes ; Comme ça du mode ; Congés payés ; Doux pédale ; Habit ; La Marine française ; Nombre impair ; Olive des Olive ; Plaire ; Une autre ; Une nana cool

De design :
Confore

De fleuristes :
Gris-gris ; Odette

D'immeubles :
Assorti ; Ciel Vie ; Cosmos ; Jeunesse ; L'habitation ; L'auberge Matsui ; Mézon

De restaurants français :
À table ; Chez moi ; Fourchette ; Paris bis ; Petit Chinois

De salons de coiffure :
Chat noir ; Déjà-vu ; Joli fesse ; La Coupe ; Singe

La liste est bien sûr infinie et mériterait tout un volume avec images à l'appui, en un mot, un beau-livre.

NUDITÉ

Il n'y a pas d'habillage publicitaire à la télévision, au Japon. Au moment où l'assassin va tirer, splash ! un spot de nouilles instantanées.

O

OMBRE

Si le toit japonais est un parasol, l'occidental n'est rien de plus qu'un couvre-chef. Mieux, comme une casquette, les bords sont réduits à si peu de chose que les rayons directs du soleil peuvent frapper les murs jusqu'au ras du toit.

Tanizaki, *Éloge de l'ombre*

OREILLES

Nous utilisons des coton-tige pour ôter la cire de nos oreilles. Ou un coin de serviette. Au Japon, on utilise un *mimikaki*, c'est-à-dire un bâtonnet en bambou à l'extrémité spatulée et recourbée. C'est une pratique réputée relaxante, à laquelle on s'adonne seul ou dans l'intimité, de parents à enfants ou entre amoureux.

P

PAYSAGES

Ça arrive
Au Japon, certains ponts sont orange.

Marée
On dirait qu'il n'y a pas de marée au Japon, en tout cas pas dans la mer du Japon.

Mer
Au Japon, dès qu'il y a la mer, la montagne n'est jamais bien loin.

PENDAISON

Au Japon, il y a toujours la peine de mort. Par pendaison.
En France, la peine de mort a été abolie en 1981. Avant, c'était la guillotine.

PÉREMPTION

En France, les dates de péremption sont indi-
quées, dans l'ordre, par le jour, le mois, l'année. Un
camembert par exemple, sera bon jusqu'au
28.01.11. Par contre, au Japon, on indique d'abord
l'année, le mois, puis le jour. Du *miso* donc sera
consommable jusqu'au 11.01.28.

PETITS ARRANGEMENTS AVEC LE MARIAGE

Discrétion
Les amis trouvent que Tanaka ferait le mari idéal
pour Masako. Universitaire brillant, le sens de l'hu-
mour, un jeune homme moderne. On organise une
petite fête, on fait *kanpai* (on trinque), on se détend.
Et l'on apprend au milieu du repas que Tanaka est
déjà marié.

Omiai
Les meilleurs mariages sont les mariages arrangés
(*omiai*). Les meilleurs *omiai* sont réalisés par les parents, qui ont pris leurs renseignements et ne com-
mettraient jamais le genre de bourde décrite
ci-dessus.

PEUR

On est resté très puéril en Occident. On a peur du noir et des endroits sombres. Rien de tout cela au Japon. Ici, on a seulement peur des fantômes. Précaution élémentaire : se passer de miroir dans la chambre à coucher. C'est en effet par là qu'« ils » reviennent.

PHARMACOPÉE

C'est au dispensaire, après consultation, qu'on reçoit ses remèdes. Toujours en faible quantité : *Revenez dans trois jours si ça ne va pas.* Ça va toujours.

N.B. : Dans une pharmacie japonaise, outre les classiques produits d'automédication, les articles d'hygiène et les cosmétiques, on trouvera tout pour l'entretien de la maison : produits vaisselle, détergents divers, eau de Javel, lessive, insecticides, papier toilettes, sacs poubelles... un vrai bonheur.

PHILO

On répugne à se moucher en public au Japon. On préférera renifler, avec plus ou moins de conviction, chacun ruminant son Héraclite (*Tout coule*).

POÉSIE

Les haiku, c'est 5, 7, 5 syllabes.
Les tanka, c'est 5, 7, 5, 7, 7.
L'alexandrin, c'est 12.

PONTS

À Paris, on ne peut traverser la Seine autrement qu'en passant sur un pont. À Kyoto, il y a des chemins de rochers qui permettent de traverser la Kamogawa. La Kamo n'est pas très profonde : difficile de s'y suicider. C'est plus facile à Paris. En sautant d'un pont par exemple.

PORTES

Bon sens

Nous verrouillons les portes dans le sens des aiguilles d'une montre. Au Japon, on les verrouille dans le sens trigonométrique (le sens contraire).

Cocteau contre Dr No

Il y a deux sortes de portes au Japon. Les portes d'origine japonaise, *tobira*, que l'on fait glisser, comme dans *James Bond contre Dr No*, en 1962, et les portes occidentales, *dôa* (*door*), que l'on peut ouvrir, fermer, et surtout claquer comme dans *Les Parents terribles* de Cocteau, en 1929.

Pachinko (sorte de flipper vertical)

Au Japon, la plupart des portes des commerces s'ouvrent et se ferment automatiquement. On sait que la porte d'un établissement de *pachinko* vient de s'ouvrir lorsqu'on a l'impression de fumer dix paquets de cigarettes en même temps et qu'on est devenu sourd après avoir entendu des milliers de billes en acier s'entrechoquer.

Tact

Nous frappons aux portes avant d'entrer, et une voix nous répond. Au Japon, on frappe deux coups légers aux portes des toilettes, et personne ne répond. Si l'on entend en retour un autre *toctoc*, inutile d'insister. On pourrait se contenter de regarder le voyant de couleur, mais il n'y en a pas toujours. Et puis il y a les distraits, les maladroits, les claustrophobes, les timides qui mourraient sur place plutôt que de clamer : « Occupé ! »

PREUVE PAR 9

Quand on se sert soi-même en essence dans une station libre-service japonaise, neuf fois sur dix, l'employé viendra vous aider à porter votre bidon de dix-huit litres jusqu'à votre véhicule (voiture, vélo, caddie). De l'essence du libre-service.

PRODUITS LAITIERS

Meuh
Au Japon, aucune vache ne regarde passer les trains.

Yaourts
Au Japon, les yaourts pèsent quatre-vingts grammes. En France, cent vingt-cinq, et ils ne sont jamais enrichis au jus de cactus.

R

RACONTER

Si on demande à un étudiant japonais de raconter ses grandes vacances, il dira qu'il a passé deux jours dans son pays natal. Impossible d'en savoir plus sur les deux mois restant. Peut-être le bonheur ne se raconte-t-il pas.

RÉCLAME

Été comme hiver, ils sont jeunes, ils sont là, pleins d'entrain, à proximité d'une bouche de métro. Engageants, ils vous tendent des mouchoirs en papier et/ou des prospectus à la gloire de restaurants, salons de beauté, nouveaux commerces établis dans le quartier, nouvelles écoles d'anglais... Allégories souriantes de dame Réclame, divinités mineures de Miss Publicité.

RÉPULSIF

En France, pour conjurer le mauvais sort, on jette du sel par-dessus son épaule. Au Japon, du sel placé devant sa porte permet d'éloigner les mauvais esprits.

S

SAISONS

Aguets

Au Japon, on guette l'arrivée des belles couleurs de l'automne dans les érables et les ginkgos. En France, on a l'œil sur la maturation des grains de raisin.

Automne

À la fin de l'automne, il neige des ginkgos. Autant dire de l'or.

Bains de mer

On ne se baigne pas après le 15 août ici (sauf à Okinawa, mais est-ce encore le Japon ?). Peu amateurs de baignades au départ – la mer, c'est fait pour pêcher –, les Japonais désertent les plages après O-Bon. Ce n'est pas mortification après la fête des Morts ; reste que la synchronie est troublante. Non, si le temps des bains de mer a cessé, la faute en revient au petit peuple des méduses qui revient *piano piano* occuper les eaux salées : vivantes bouées translucides, blanches, rouges ou vert-bleutées, de diamètre variable. Pour se rendre compte de la merveille inégalée de ce spectacle flottant, il est vivement conseillé de visiter l'aquarium d'Osaka (Kaiyûkan). Ou de se baigner, en septembre, dans la mer du Japon par exemple.

En avoir ou pas

C'est en avril que fleurissent les fleurs de cerisiers (*sakura*) et qu'on se presse pour pique-niquer alentour (faire *hanami*). La question revient chaque année, mais alors, en France, vous n'avez pas de cerisiers ? On sourit que si, bien sûr. Et puis, on lève la tête vers les rangées d'arbres à perte de vue, ces moutonnements de blanc et de rose, ces caravanes d'idées de rose et d'idées de blanc, ce nuancier absolument infini, et on avoue que non, en effet, il n'y a pas ça chez nous.

Feuilles mortes

En France, on peut shooter dans les tas de feuilles mortes. Au Japon, c'est difficile, il semblerait qu'elles soient ramassées une par une et au fur et à mesure de leur chute. Peut-être même en plein vol. C'est fort possible.

Fleurs

Au Japon, les narcisses d'été fleurissent en automne. En France, les narcisses d'été fleurissent en hiver et on ne les appelle pas narcisses d'été, seulement narcisses. Les narcisses d'été et les narcisses tout court ont un point commun, il ne faut pas respirer leur parfum. Risque de migraine.

Hiver

Au Japon, on se chauffe à l'aide d'un véritable arsenal : chaufferettes, couvertures électriques, chaussons électriques, pochettes de chaleur que l'on enfourne dans ses vêtements, au fond de ses chaussures, etc. En Europe, on chauffe les maisons.

Katori senkô

On a toujours chez soi cette spirale d'encens vert (ou noir ou marron, plus écologiques, semble-t-il) dont la fumée éloigne les moustiques et même certains amis. Dès le mois d'octobre, on a de plus en plus de mal à en trouver. On a beau expliquer au vendeur du *kombini* qu'il s'agit d'un cas de force majeure – il fait encore 28° la nuit, on habite en face d'un jardin, les insectes assoiffés vous ont choisi pour cible – il répondra impassible que, désolé, ce n'est plus la saison.

Le meilleur du soleil

Un pâle rayon de soleil hivernal vous caresse le visage dans un café. Vous soupirez d'aise en chaussant vos lunettes de soleil, douceur, quand un serveur zélé accourra aussitôt vous proposer de fermer les rideaux (vous avez le droit de dire non). Idem dans le train, où les voyageurs auront d'eux-mêmes baissé les stores. Jusqu'au plus fort de l'hiver, on dégaine son ombrelle : *Le meilleur du soleil, c'est l'ombre*, lit-on dans le roman japonais de Jean Echenoz, *Au piano*.

Typhons

Les typhons japonais n'ont pas de sexe, ils ont un numéro. Le 21 est annoncé au large de Taiwan, le 22 le suit de près, etc. Chaque année on refait le compte, après l'été, quand la saison des typhons est ouverte. On ne recourt pas aux prénoms pour distinguer les calamités, qui ne sont ni féminines ni masculines, juste des calamités, ce qui évite au passage les discussions oiseuses. De toute façon, en japonais, il n'y a ni masculin ni féminin. Il n'y a pas non plus de singulier ou de pluriel. Et à vrai dire, pas de futur non plus.

SCIE

Au Japon, pour scier du bois, on tire la scie vers soi, puis on relâche le mouvement en poussant. Nous opérons en sens inverse.

Le quotidien. Seule varie la force sur l'échelle de Richter ; si la terre tremble chaque jour, c'est le plus souvent de manière imperceptible. Les conseils officiels en cas de fort séisme sont pour le moins confondants : *Restez chez vous et cachez-vous sous une table* ou : *Sortez au plus vite.* Les messages amicaux de France plus confus encore : *Faites bien attention surtout.*

On n'est pas prêt d'oublier le séisme de Kobe, le 17 janvier 1995, un peu avant six heures du matin. Les oiseaux avaient cessé de chanter. On ne s'en était aperçu qu'à la reprise de leurs gazouillis. On était sorti à l'air libre, pour les écouter mieux, pour vérifier aussi, mine de rien, que le sol ne bougeait plus. Comment expliquer alors notre démarche en crabe ? C'est qu'à l'intérieur ça tremblait encore.

SIGNES

Attention
Dans une conversation japonaise, on acquiesce souvent, ça ne veut pas dire qu'on est d'accord, ça veut dire qu'on écoute.

Cadeaux
Nous apportons volontiers des fleurs aux personnes malades ou hospitalisées. Les Japonais offrent des fruits, un beau melon par exemple.

Débordements

Si on ne se tient guère la main dans la rue au Japon, sauf quelques rebelles comme il en existe partout, il est une façon d'afficher sans équivoque son statut d'amoureux : attirer violemment sa moitié à soi lorsqu'on a deviné dans son dos l'arrivée imminente d'un cycliste – on roule le plus souvent sur les trottoirs ici. Le collé-serré d'une seconde et demie qui s'ensuit ne laisse subsister aucun doute.

Fleurs

Un vase de fleurs ou parfois un simple bouquet déposé au coin de deux rues tranquilles. C'est pour rappeler qu'un enfant est mort ici, renversé par une voiture.

[...] *une place est dangereuse* parce qu'*elle paraît sûre*, dit Jean Paulhan dans *Entretiens sur des faits divers*.

Géométrie

En France, on coche la case correspondant à son choix. Au Japon, la croix signifie le rejet, l'exclusion (l'accord est symbolisé par un rond). De la même façon, les deux index croisés ou les deux mains croisées (voire les deux bras en croix en cas de véhémence extrême) signifient la négative.

Conséquence : si on marque d'une croix sur une planche contact les tirages désirés, on obtient les autres, les flous, les hors-cadre, les ratés.

Gestes

En France, on rassemble le pouce, l'index et le majeur pour décrire une suite de boucles, allant de la gauche vers la droite. Au Japon, on ferme le poing et on effectue de petits cercles dans le sens contraire des aiguilles d'une montre. C'est du boulot, mine de rien, de mimer le travail d'écriture.

SIMILITUDE

Au Japon c'est dur. En France aussi.

SOLITUDE

Au Japon aussi, un seul être vous manque et tout est dépeuplé. (Pourtant...)

SPÉCIALITÉS

En France, lorsque l'on revient de vacances ou de week-end, on rapporte à ses amis et parents du nougat de Montélimar, des bêtises de Cambrai, des berlingots de Carpentras, des violettes de Toulouse ou des coucougnettes du Sud-Ouest.

Au Japon, quand on part quelques jours en vadrouille, on rapporte à ses parents, amis et collègues, du navet confit dans la saumure du Kansai, des palets aux crevettes de Nagoya, de la peau de lait de soja séchée de Kyoto, des algues de Hokkaido, et, d'un peu partout, des nouilles de sarrasin ou un assortiment de prunes salées. Ça fait toujours plaisir.

SPIRITUALITÉ

Cloches
Au Japon, la cloche des temples est en dehors du bâtiment et on la fait sonner en la frappant avec un battant extérieur. Les cloches des églises sont dans un campanile et on les fait sonner le plus souvent en frappant la paroi intérieure.

Enfers
Les enfers japonais ont seize régions, huit brûlantes, huit glaciales. Les huit zones glaciales sont nommées selon la couleur de la chair prête d'éclater sous le froid : lotus rouge, lotus bleu, lotus écarlate, lotus blanc...
Nos enfers sont seulement brûlants.

Esprit
Trois hommes réunis ont la sagesse du bodhisattva Monjû.
(proverbe japonais)

Là où deux ou trois sont assemblés en mon nom, je suis au milieu d'eux.
Matthieu, 19-18

Éviter d'être seul.

Mauvaise idée

Au Japon, il y a le mont Koya. C'est une très bonne idée d'aller visiter le temple des lanternes, Toro-do, du mont Koya. Par contre, c'est une très mauvaise idée, pour s'y rendre, de traverser à la nuit tombée l'Okuno-in, le cimetière aux deux cent mille tombes. On pourrait dire, une idée funeste. En même temps, c'est la route. La seule route. Mais peuplée d'impalpables.

Présence

Dans l'Occident chrétien, Dieu est réputé être présent dans les églises. Au Japon, on appelle les dieux du shintô en frappant dans les mains, on les prie, puis on les renvoie de la même façon.

SPORT

Assouplissement

Dans les piscines japonaises, les nageurs n'entrent jamais dans l'eau sans s'être d'abord soigneusement échauffés au bord du bassin, en pratiquant des mouvements d'assouplissement.

Aux chiottes l'arbitre

Pendant les matchs de foot, les supporters japonais chantent pour encourager leur équipe. Ça met de l'ambiance. En France, non seulement les supporters chantent mais en plus, ils essayent de mettre le feu à la pelouse ou pourquoi pas aux joueurs eux-mêmes. Ça met de l'ambiance aussi. Les supporters japonais accompagnent leurs chants de percussions et agitent des drapeaux aux couleurs de leur équipe. Les supporters français quant à eux, accompagnent leurs chants de jets de canettes de bière et agitent des bras d'honneur. Au Japon, si par exemple dans la première mi-temps, la Kyoto Purple Sanga (league 1) est menée trois-zéro, pendant quarante-cinq minutes, les supporters de la Kyoto Purple Sanga vont chanter : « *Vamos Kyoto Sanga !* » Et c'est tout un art de chanter « *Vamos Kyoto Sanga !* » pendant quarante-cinq minutes d'affilée. C'est comme pour tout, il faut y croire. C'est l'envie de changer de chanson qui pousse les footballeurs à marquer dans la deuxième mi-temps. Et plusieurs fois. Oui, parce que la bonne, l'excellente nouvelle, c'est qu'à chaque nouveau but marqué on change de chanson.

Piscines

Dans les piscines japonaises, il y a un couloir réservé à la « marche » (on n'est jamais assez prudent, somme toute). On peut marcher vers l'avant, mais aussi en arrière. C'est plus difficile. Les marcheurs « avant » doivent alors vous éviter, sinon la collision est inéluctable (plus fréquente encore entre deux marcheurs « arrière »). C'est la raison pour laquelle il faut marcher à gauche dans les piscines aussi.

Il existe également un couloir réservé à la nage dans le style samourai, très particulier. Il s'agit, en résumé, de garder le torse hors de l'eau autant que possible en avançant de biais. En théorie, ça marche aussi avec une armure.

Il reste en général trois lignes pour les autres nageurs, classées par vitesse estimée, comme sur les vélos : petite vitesse, moyenne vitesse, grand développement.

Starting-block

Au Japon, tout le monde attend le signal pour traverser une rue. Le signal, c'est un petit homme vert clignotant qui chante une étrange chanson. Les paroles en sont : « pipou, pipou, pipou », avec parfois une variante : « pipoupou, pipoupou, pipoupou », ça dépend où on traverse.

En France, personne n'attend le signal pour traverser, les petits bonhommes verts servent à décorer les rues. On traverse quand on veut en slalomant entre les voitures, c'est un sport national. On a le droit de s'aider de ses pieds, d'utiliser diverses injures et il ne faut sous aucun prétexte marcher sur les passages cloutés, sinon on est éliminé. De toute façon, le petit bonhomme vert français ne sait pas chanter.

Vestiaires

Dans les piscines japonaises, les vestiaires sont collectifs et les douches individuelles. En France, c'est le contraire.

SUCETTES (voir MOUFLES)

T

TASSE

En France les tasses à thé ont une anse, et on tient sa tasse d'une seule main. Si c'est un thé chic, il y a aussi une sous-tasse. En théorie, si la distance entre la sous-tasse et la tasse devient trop grande (supposons, par exemple, que le thé soit servi sur une table basse), on tient la sous-tasse de l'autre main pour y déposer la tasse entre deux gorgées. Au Japon, où les tables sont toujours basses, les tasses à thé n'ont pas d'anse, et on laisse la sous-tasse sur la table puisqu'on est assis par terre. On tient la tasse à deux mains, l'une la soutient par en dessous tandis que l'autre la maintient sur le côté.

On ne boit donc pas de thé vert dans une tasse à anse, ni de thé anglais dans une tasse sans anse, parce qu'on ne saurait pas comment faire.

TAXI

À la noce

Au Japon, dans les taxis, il y a des napperons brodés sur les banquettes et le chauffeur porte des gants blancs et une casquette. Certains taxis ont pour enseigne un cœur lumineux sur le toit. Il suffit donc de monter dans un taxi pour avoir l'impression d'être en voyage de noce.

La main heureuse

Au Japon, il y a toujours des taxis la nuit, avec des chansons mélancoliques pleines d'adieux, de mouchoirs, de bateaux qui s'éloignent. Ils sont bleu céladon, jaune d'or ou bicolore framboise-vanille, avec un trèfle vert sur le côté, ou un croissant de lune sur le toit. On lève la main et une voiture s'arrête, à quelques pas devant, là, sur le pont. La portière arrière s'ouvre automatiquement, la porte du coffre aussi, si vous avez un bagage. On entre, un peu inquiet tout de même, parce que la rue est déserte, qu'il fait sombre de l'autre côté du pont, que le chauffeur a des gants blancs et une casquette de capitaine, et vous ne pouvez voir ni ses oreilles de Spock ni son petit doigt d'Envahisseur. Il vous emporte dans son taxi plein de chansons tristes et d'appels radio, un soir d'été et de solitude, sans un mot vers la Voie lactée.

TENSION

Des rues étroites, des pylônes, des transformateurs et, lorsqu'on lève les yeux au ciel, un enchevêtrement de câbles électriques. Au Japon, l'électricité ne se cache pas.

TÊTARDS (voir MOUTARDS)

THÉÂTRE

Au Japon, on va au théâtre à onze heures du matin jusque vers cinq heures de l'après-midi, en laissant ses chaussures au vestiaire. En France, on va plutôt au théâtre le soir et il est assez rare, somme toute, qu'on assiste à la représentation en chaussettes.

Au kabuki, les spectateurs interpellent les acteurs pendant qu'ils jouent. En France, quand ça arrive, c'est que le spectacle est un bide.

Des cris fusent, tantôt adressés à l'acteur en son propre nom, tantôt jetant vers lui pour l'honorer son patronyme et son chiffre, car son nom, comme ailleurs celui des rois, est suivi d'un chiffre.
Marguerite Yourcenar, *Le Tour de la prison*

111

Au théâtre de marionnettes Bunraku, les récitants lisent leur texte dans un grand livre, et les musiciens n'ont pas de partitions. En Occident, ce sont les musiciens qui ont un texte, pas ceux qui parlent.

Au théâtre japonais, on dit que les acteurs « sortent » lorsqu'ils apparaissent sur scène – en venant des coulisses – et qu'ils « entrent » lorsqu'ils la quittent.

Les spectacles commencent toujours à l'heure pile. En France, on attend les officiels, après on commence.

Pendant les spectacles de nô ou de kabuki, les spectateurs restent éclairés. En France, dès le début du spectacle, on éteint la salle.

Le drame, c'est quelque chose qui arrive. Le nô, c'est quelqu'un qui arrive.
Paul Claudel, *L'Oiseau noir dans le soleil levant*

TOLSTOÏ

En japonais, on ne peut jamais s'exclamer, exaspéré : « Et ta sœur ! » parce qu'il serait nécessaire, en tout premier lieu, de savoir s'il s'agit d'une sœur cadette ou d'une sœur aînée (en japonais, il n'existe pas de mot pour une « sœur » qui ne serait ni cadette ni aînée, mais simplement une sœur). Il faudrait donc en savoir davantage sur la situation de votre interlocuteur, ce qui est rarement le cas lorsqu'on est tenté de prononcer ce type de phrase.

Le premier traducteur japonais de Tolstoï aurait, dit-on, fait le voyage vers la Russie dans le seul but de lui soumettre ce problème.

TRANSPORTS EN COMMUN

Auto-stop

Il faut penser à cacher ses pouces (*oya*) lorsque passe un corbillard, pour les Japonais les pouces symbolisant les parents (eux aussi : *oya*), en les cachant on les protège de la mort, pour les autres parce que ce n'est pas très fin comme blague.

Bus

On ne paie pas en y entrant mais au sortir, sauf à Tokyo. On pourrait craindre engorgement, perte de temps, il n'en est rien. Et le chauffeur vous salue en prime.

Chikan

Ce mot désigne un individu qui se livre à des attouchements sexuels sur des passagères. Il existe même une brigade de police spécialement affectée à la surveillance des rames à certaines heures. Du reste, deux voitures sont exclusivement réservées aux femmes.

Civilité

Scène de bus : une vieille dame cède sa place à une vieille dame.

Contrôle

Dans le *shinkansen*, le contrôleur salue les passagers en entrant et en sortant du wagon. Il se courbe et enlève sa casquette. Même lorsqu'il ne fait que passer. Les uniformes des contrôleurs ressemblent à s'y méprendre à ceux des pilotes d'avion.

Crédulité

Quand la voix du haut-parleur présente ses sincères excuses pour le retard d'un train, on y croit.

Dites 63

La ligne parisienne 63 mène de la gare de Lyon à la porte de la Muette. À Tokyo, elle vous promène de Shibuya à Nakano (il y en a pour des heures).

Dormir

On s'endort en toute confiance dans le train ou le métro au Japon et on a raison, on ne manque jamais sa station.

Lapin blanc

Au Japon, les trains partent et arrivent toujours à l'heure pile. Donc, pas besoin de montre.

Lire

On lit sans complexe des mangas érotiques dans les trains japonais.

Métro

Dans le métro japonais, les deux rangées se font face, perpendiculairement à la rame, à bonne distance. Dans les anciennes rames parisiennes, c'est-à-dire presque toutes, les sièges sont en vis-à-vis. Il est donc impossible de s'asseoir ou de quitter son siège sans heurter les genoux de ses voisins.

Sens de la marche

Dans les trains japonais, c'est comme dans les avions, on est toujours assis dans le bon sens, c'est-à-dire dans le sens de la marche. Quand le train arrive au terminus, les employés de la compagnie font basculer les rangées, et hop ! les sièges sont de nouveau dans le bon sens. C'est pratique quand on a mal au cœur. Mais pour jouer à la belote ou faire le malin en cédant galamment sa place, tintin.

On peut bien sûr choisir l'option fenêtre ou couloir en achetant son billet, mais aussi le côté gauche ou le côté droit par rapport à l'allée centrale. Avec quelques bases en géographie, on peut donc voir la mer à l'aller et le Fuji au retour (ou l'inverse).

Train

Le premier train à grande vitesse japonais, le *shin-kansen*, s'appelait *Kodama* (Écho). Puis il y eut un train plus rapide, qu'on appela *Hikari* (Lumière), car il allait encore plus vite que l'écho. Il y a maintenant des trains encore plus rapides, bien plus rapides que la lumière. Ceux-là, on les appelle *Nozomi* : Espoir.

Le prochain train rapide ne s'arrêtera plus nulle part et arrivera avant de partir, mais comment l'appellera-t-on ?

U

UNIFORME

Au Japon les menuisiers ont des tenues de menuisiers, les collégiens des uniformes de collégiens, les pharmaciens des blouses de pharmaciens, c'est bien pratique pour les reconnaître. Dans les sitcoms, les femmes au foyer en tablier à collerette préparent le riz en attendant le retour de l'homme. Les livreurs de sushis à mobylette ont des bottes de caoutchouc blanc, les promeneurs un sac à dos et des chaussures de marche, tout est en ordre. Et les femmes enceintes sont toutes en robe chasuble et chaussettes, sans exception, quelle que soit la saison.

V

VACANCES

Jours fériés au Japon
1er janvier : jour de l'an
Deuxième lundi de janvier : jour de l'accession à la majorité (vingt ans)
11 février : anniversaire de la fondation de l'État japonais
20 ou 21 mars : équinoxe de printemps
29 avril : anniversaire de l'empereur Shôwa
3 mai : commémoration de la Constitution
4 mai : fête de la nature
5 mai : jour des enfants
Troisième lundi de juillet : jour de la mer
Troisième lundi de septembre : jour des personnes âgées
22 ou 23 septembre : équinoxe d'automne
Deuxième lundi d'octobre : jour de l'éducation physique
3 novembre : jour de la culture

23 novembre : fête des travailleurs
23 décembre : fête nationale
26 décembre : anniversaire de l'empereur

VIANDE

Élevé sous la mer
On consomme ou utilise presque tout du porc en France, qui trouve son homologue japonais dans la baleine. Sans pousser jusqu'à Hokkaido, on peut trouver un restaurant de baleine à Kyoto où l'on propose d'entrée de jeu aux clients étrangers un plateau pour trois, pas plus, pour goûter. Selon les morceaux, la chair ressemble à un pétale de rose très pâle bordé de pourpre ou à du steack de foie.

Certes, on ne mange pas de baleine tout au long de l'année mais on en entrevoit régulièrement, sous forme de tranches bien noires, au rayon boucherie des supermarchés. À peine entrevues, elles ont disparu. L'animal n'est pas donné mais on en est si friand qu'on en crève son bas de laine.

Joyeux bouchers
Au Japon, la viande est coupée en très fines tranches. En France, il faut que le morceau de viande soit épais, pour pouvoir le claquer sur la table de la cuisine lorsqu'on le sort du frigo.

Faut avaler d'la barbaque / Pour êt'bien gras quand on claque. Boris Vian

Tristes bouchers
À Tokyo, il y a le marché aux poissons de Tsukiji.
Une véritable boucherie.

VICTOIRE

Devant le mont Fuji, la tour de Tokyo, les grandes statues du Bouddha, les fontaines miraculeuses,
les enfants et les amoureux japonais se font prendre
en photo, tout sourires, en formant avec l'index et
le majeur le V de la Victoire – la victoire des Alliés
sur l'Allemagne et le Japon ?

VITESSE (voir ESQUIVE)

Les Japonais ne vous regardent pas, dit-on. Je me
sens invisible ici, entend-on. Et pourtant, repéré on
est. De très loin, même. L'œil s'est aussitôt après
détourné pour fixer un autre point perdu dans l'espace mais au moment de se croiser, ultime vérifica-
tion oculaire, à la vitesse de la lumière.

VOITURES

Les voitures sont toujours propres et neuves au
Japon. Comme les billets de banque. On les lave
aussi souvent que l'on se shampouine (6,2 fois par

semaine en moyenne). On les couvre d'une housse argentée, avec deux petites oreilles pour les rétroviseurs. Si on n'a pas le temps de laver sa voiture, on en achète une autre.

W

WISIGOTHS

Il y a une façon d'éplucher les *mikan* (mandarines) d'une seule pièce en reconstituant parfaitement la forme du fruit avec l'écorce. C'est d'ailleurs la seule façon. Quand on a vu faire un Japonais, on se sent tout simplement barbare.

Z

ZAPPING

Quand on zappe sur les chaînes japonaises, il y a toujours une femme qui pleure, un homme qui mange et quelqu'un qui pose une question.

ZAZEN

Oubliez la vue sur le jardin, le zen « assis », *za-zen*, se pratique généralement face à un mur, et gare à vous si votre attitude se relâche : un moine vous redresse d'un coup de bâton sur les épaules.

Nous pensons généralement que le mot zen est un équivalent du terme anglais *cool*, synonyme de simple, calme, décontracté, garanti d'origine naturelle et peut-être même issu du commerce équitable.

À Kyoto, le long du canal du lac Biwa, on file à vélo en céleste compagnie. En contrebas, au niveau du musée du Canal, perdu dans les herbes, un petit pont fait de planches disposées en zigzag entouré d'iris des marais figure un hommage à Zeami, auteur d'une pièce de nô faisant apparaître et danser l'Esprit des iris, près d'un pont tout semblable, en un lieu célébré par les poètes depuis qu'il en existe au Japon.

Dans nos mythologies, nos légendes, les lauriers, les jacinthes, les narcisses et tant d'autres sont des nymphes, des dieux ou des héros métamorphosés dans le règne végétal.

Au Japon, c'est l'esprit des fleurs qui prend forme humaine et vient à nous en dansant.

Collection "Arléa-Poche"